Este libro pertenece a:

Alejandro y Joqmy

Emociones

Editado por Scholastic Inc., 90 Old Sherman Turnpike, Danbury, CT 06816

SCHOLASTIC y los logos asociados son marcas de productos y/o marcas registradas de Scholastic Inc.

ISBN 0-439-92379-4

Título del original en inglés: Magenta's Super Sleepover

Traducción de Daniel A. González y asociados

Impreso en Estados Unidos

Primera impresión de Scholastic, enero de 2007

Magenta va a dormir a casa de Blue

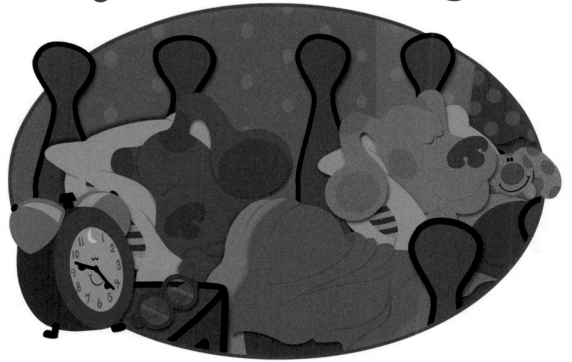

por
Tish Rabe

ilustrado por
Victoria Miller

SCHOLASTIC INC.
Nueva York Toronto Londres Auckland Sydney
Ciudad de México Nueva Delhi Hong Kong Buenos Aires

Magenta estaba muy emocionada.
Era la primera vez que iba a dormir
en casa de su amiga Blue.

—¿Cómo será dormir fuera de
casa? —se preguntaba Magenta
mientras empacaba lo necesario. Claro que no
olvidó empacar su suave manta rosada, porque
nunca dormía sin ella.

Magenta corrió a la casa de Blue y tocó la puerta. Estaba muy emocionada, pero también un poquito nerviosa porque era la primera vez que dormía fuera de su casa.

—¡Me alegra tanto que estés aquí!
—exclamó Blue— ¡Vamos a hacer una obra
de títeres! ¿Podemos usar tu manta de cortina?
—Bueno . . . *okay* —dijo
Magenta muy lentamente.

Blue le mostró a Magenta todos sus títeres.
—¿Tienes un títere de princesa? —preguntó
Magenta—, yo siempre hago de princesa.

—No —dijo Blue— pero puedes ser Unicornio y yo seré Conejita.

—Ya sé —dijo Magenta riéndose— vamos a ponerle a nuestra obra *¡Unicornio duerme en casa de Conejita!*

Magenta y Blue montaron una obra para el
señor Salt, la señora Pepper, Cinnamon y Paprika.
Cuando ya casi terminaban, Magenta dijo: —Entonces
Unicornio se quedó dormido bajo la luna y las estrellas.

Y Blue añadió rápidamente: —Conejita
también se durmió y soñó con todas las cosas
especiales que ella y Unicornio harían
la mañana siguiente. Fin.
La audiencia aplaudió y gritó —Magnifique!

—¡Es la hora de cenar! —dijo el señor Salt.
Magenta siguió a Blue a la cocina.
—¿Qué hay de comer? —preguntó Blue.

—Pizza con pepperoni —dijo la señora Pepper.

Magenta no sabía qué hacer. No sabía si la pizza con pepperoni le iba a gustar, porque siempre comía pizza sencilla.

—El pepperoni es delicioso —le dijo Blue a Magenta— ¡pruébalo!

15

¡A Magenta le encantó la pizza y se comió un gran pedazo!

—¿Quieres jugo de uva? —preguntó el señor Salt.

—¡Sí, por favor! Me encanta el jugo de uva —dijo Magenta—. Pero cuando estaba tratando de alcanzar el vaso, lo tumbó sin querer y derramó todo el jugo en su manta rosada.

—¡No te preocupes! —dijo la señora Pepper—. ¡Voy a lavar tu manta ahora mismo!

—Ojalá mi manta esté lista antes de irnos a dormir —dijo Magenta en voz bajita.

—Estoy segura de que estará lista muy pronto —le aseguró Blue a su amiga.

Después de cenar, Blue y Magenta se pusieron sus pijamas.

—¿Ya es hora de tu cuento para dormir? —preguntó el reloj Tickety.

—Casi —dijo Blue—. Vamos a cepillarnos los dientes y después leemos un libro.

—Blue —dijo Magenta—, cuando estoy en mi casa, primero leo un cuento y después me cepillo los dientes.

Blue pensó por un momento. —Tengo una idea —dijo—, ¿qué te parece si yo me cepillo los dientes antes de leer el libro y tú te los cepillas después?

—¡Qué buena idea! —dijo Magenta.

Después de que Blue y Magenta habían leído el cuento y las dos se habían cepillado los dientes, se fueron a sus camas. Cuando Magenta se sentó en la cama, pensó que ésta no era igual que la camita de su casa. —Esto de venir a dormir en casa de Blue ¿habrá sido una buena idea? —pensó.

—Blue —dijo Magenta en voz bajita—, no creo que pueda dormir sin mi manta rosada.

—Yo sé cómo te sientes —dijo Blue—. A mí no me gusta dormir sin mi peluche Polka Dots. Vamos a contar chistes hasta que tu manta esté lista.

Al poco tiempo Blue y Magenta se estaban
riendo tan fuerte que no escucharon cuando la
señora Pepper entró al cuarto.

—¡Aquí está! ¡Cómo nueva! —dijo la señora
Pepper mientras le entregaba la manta limpia
a Magenta.

—¡Muchas gracias! —dijo emocionada Magenta abrazando su manta—. Ahora sí podré dormir.

—Buenas noches —dijo la señora Pepper y apagó la luz.

—Buenas noches —dijeron Blue y Magenta suavemente.

Magenta puso su manta rosada sobre la cama.

—Blue . . . ¿y si todavía no puedo dormir? —preguntó.

—A ver, ¿qué haces en tu casa para quedarte dormida? —preguntó Blue.

—Miro las estrellas y pido muchos deseos —dijo Magenta.

—Eso también lo podemos hacer aquí —dijo Blue. Y abrió las persianas para que pudieran ver las estrellas en el cielo.

¡Muchas gracias, Blue! —dijo Magenta—. Las estrellas aquí se ven igual a como se ven desde mi casa.

Blue y Magenta se taparon con las mantas.

Se desearon dulces sueños. Y al poco tiempo Magenta se quedó dormida mirando el resplandor de las estrellas en el cielo.

Fundamentos de Aprende jugando de Nick Jr.™

¡Las habilidades que todos los niños necesitan, en cuentos que les encantarán!

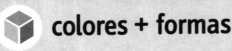 **colores + formas**
Reconocer e identificar formas y colores básicos en el contexto de un cuento.

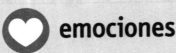 **emociones**
Aprender a identificar y entender un amplio rango de emociones: felicidad, tristeza, entusiasmo, frustración, etc.

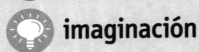 **imaginación**
Fomentar las habilidades de pensamiento creativo a través de juegos de dramatización y de imaginación.

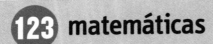 **matemáticas**
Reconocer las primeras nociones de matemáticas del mundo que nos rodea: patrones, formas, números, secuencias.

 **música + movimiento**
Disfrutar el sonido y el ritmo de la música y la danza.

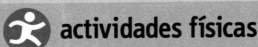 **actividades físicas**
Promover coordinación y confianza a través del juego y de ejercicios físicos.

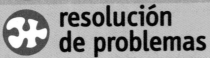 **resolución de problemas**
Usar habilidades de pensamiento crítico (observar, escuchar, seguir instrucciones) para hacer predicciones y resolver problemas.

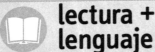 **lectura + lenguaje**
Desarrollar un amor duradero por la lectura a través del uso de historias, cuentos y personajes interesantes.

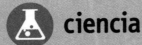 **ciencia**
Fomentar la curiosidad y el interés en el mundo natural que nos rodea.

 **habilidades sociales + diversidad cultural**
Desarrollar respeto por los demás como personas únicas e interesantes.

Emociones

Estímulo de conversación

Preguntas y actividades para que los padres ayuden a sus hijos a aprender jugando.

Magenta llevó su manta a la casa de Blue. ¿Qué llevarías tú para ayudarte a dormir en la casa de un(a) amigo(a)?

Para encontrar más actividades para padres e hijos, visita el sitio Web en inglés www.nickjr.com.